그러므로 모든 더러운 것과 넘치는 악을 내버리고

너희 영혼을 능히 구원할 바

마음에 심어진 말씀을 온유함으로 받으라

야고보서 1장 21절

묵상 날짜 | 년 월 일

묵상 본문 | **눅 8:4-15** 제목 | **좋은 땅에 심으라**

- 본문을 통해 하나님께서 내게 하시는 말씀은 무엇인가?

하나님나라의 비밀을 아는 것이 너희에게는 허락되었다(10절)는 말씀에서 '너희'란 누구인가? 4절에 큰 무리가 모여와서 들었으나 모두가 '하나님의 비밀을 아는 것'은 아니다. 15절의 오직 '좋은 땅'과 같은 마음을 가질 때 허락된다. '착하고 좋은 마음으로 말씀을 듣고 지키어 인내로 결실하는 자'가 좋은 땅이다. '귀'가 아니라 '마음'으로 말씀을 받는다. 땅은 마음, 씨는 말씀이다. 길가 같은 마음은 세속주의로, 돌짝밭 같은 마음은 감정주의로, 가시떨기 같은 마음은 물질주의로 가득하다. 좋은 땅이란 착하고 좋은 마음이다.

'착한 마음'이란 선하고, 건강한 마음이며 말씀을 듣는 동기를 말한다. '좋은 마음'이란 말씀을 들을 때 순종하는 마음으로 듣는 것이다. 즉 말씀 듣는 태도를 말한다. '착하고 좋은 마음'이란 앞의 세 종류의 땅의 요소가 제거된 마음이다. 겸손한 마음과 하늘을 향해 열린 마음, 갈급한 마음과 갈망하는 마음이다.

그러므로 '너희'란 '착하고 좋은 마음으로 말씀을 받는 사람'을 가리킨다. 하나님나라의 비밀은 이런 사람들에게 알려지는 것이다.

- 하나님이 말씀하신 것을 구체적으로 내게 어떻게 적용할 것인가?

나도 모르게 내 마음에 다른 것이 들어와 날 황폐하게 할 수도 있다.
세속주의와 감정주의와 물질주의를 주의해야 하겠다.
이것을 마음에서 제거하는 길은 회개하는 것이다.
내게 간절한 마음과 열린 마음과 목마른 마음을 주시길 믿음으로 간구하자.
나의 기도에 응답하실 것을 기대하면서.

중보기도

- 본문을 통해 내게 필요한 기도제목들은 무엇인가?

주님, 내게 있는 세 종류의 밭과 같은 마음을 제거하여 주소서.
주님, 내게 착하고 좋은 마음을 부어주소서.

- 왜 이 기도제목들이 내게 필요했는가?

말씀을 읽고 묵상하는 것에 있어서 게으르다. 이 같은 것은 내 마음을 다른 것들로 채우기 때문이다.

- 오늘의 말씀을 통해 내 삶에 어떤 변화가 일어났는가? 기도응답은 있는가? 구체적으로 어떤 것인가?

묵상 날짜 | 년 월 일

묵상 본문 | **마 6:25–34** 제목 | **염려하지 말라**

- 본문을 통해 하나님께서 내게 하시는 말씀은 무엇인가?

- 하나님이 말씀하신 것을 구체적으로 내게 어떻게 적용할 것인가?

중보기도

- 본문을 통해 내게 필요한 기도제목들은 무엇인가?

- 왜 이 기도제목들이 내게 필요했는가?

- 오늘의 말씀을 통해 내 삶에 어떤 변화가 일어났는가?
  기도응답은 있는가? 구체적으로 어떤 것인가?

묵상 날짜 |　　　　　　년　　　월　　　일

묵상 본문 | **딤전 6:6-10**　　　　제목 | **일만 악의 뿌리**

- 본문을 통해 하나님께서 내게 하시는 말씀은 무엇인가?

- 하나님이 말씀하신 것을 구체적으로 내게 어떻게 적용할 것인가?

중보기도 

- 본문을 통해 내게 필요한 기도제목들은 무엇인가?

- 왜 이 기도제목들이 내게 필요했는가?

- 오늘의 말씀을 통해 내 삶에 어떤 변화가 일어났는가?
  기도응답은 있는가? 구체적으로 어떤 것인가?

묵상 날짜 | 년 월 일

묵상 본문 | **빌 4:10-13** 제목 | **자족을 배우라**

- 본문을 통해 하나님께서 내게 하시는 말씀은 무엇인가?

- 하나님이 말씀하신 것을 구체적으로 내게 어떻게 적용할 것인가?

중보기도

- 본문을 통해 내게 필요한 기도제목들은 무엇인가?

- 왜 이 기도제목들이 내게 필요했는가?

- 오늘의 말씀을 통해 내 삶에 어떤 변화가 일어났는가?
  기도응답은 있는가? 구체적으로 어떤 것인가?

묵상 날짜	년	월	일
묵상 본문 **빌 4:14-19**	제목 **공급자 하나님**		

• 본문을 통해 하나님께서 내게 하시는 말씀은 무엇인가?

• 하나님이 말씀하신 것을 구체적으로 내게 어떻게 적용할 것인가?

중보기도

- 본문을 통해 내게 필요한 기도제목들은 무엇인가?

- 왜 이 기도제목들이 내게 필요했는가?

- 오늘의 말씀을 통해 내 삶에 어떤 변화가 일어났는가?
  기도응답은 있는가? 구체적으로 어떤 것인가?

묵상 날짜 | 년 월 일

묵상 본문 | **딤전 6:17-19** 제목 | **성부의 태도**

- 본문을 통해 하나님께서 내게 하시는 말씀은 무엇인가?

- 하나님이 말씀하신 것을 구체적으로 내게 어떻게 적용할 것인가?

중보기도

• 본문을 통해 내게 필요한 기도제목들은 무엇인가?

• 왜 이 기도제목들이 내게 필요했는가?

• 오늘의 말씀을 통해 내 삶에 어떤 변화가 일어났는가? 기도응답은 있는가? 구체적으로 어떤 것인가?

묵상 날짜 | 년 월 일

묵상 본문 | **눅 5:1-7** 제목 | **말씀에 의지함**

- 본문을 통해 하나님께서 내게 하시는 말씀은 무엇인가?

- 하나님이 말씀하신 것을 구체적으로 내게 어떻게 적용할 것인가?

중보기도 

- 본문을 통해 내게 필요한 기도제목들은 무엇인가?

- 왜 이 기도제목들이 내게 필요했는가?

- 오늘의 말씀을 통해 내 삶에 어떤 변화가 일어났는가?
  기도응답은 있는가? 구체적으로 어떤 것인가?

묵상 날짜 |　　　　　　　년　　　월　　　일

묵상 본문 | **습 1:12**　　　　　　제목 | **찌끼 같은 마음**

- 본문을 통해 하나님께서 내게 하시는 말씀은 무엇인가?

- 하나님이 말씀하신 것을 구체적으로 내게 어떻게 적용할 것인가?

중보기도

- 본문을 통해 내게 필요한 기도제목들은 무엇인가?

- 왜 이 기도제목들이 내게 필요했는가?

- 오늘의 말씀을 통해 내 삶에 어떤 변화가 일어났는가?
  기도응답은 있는가? 구체적으로 어떤 것인가?

묵상 날짜 | 년 월 일

묵상 본문 | **잠 19:17** 제목 | **빚쟁이 하나님**

● 본문을 통해 하나님께서 내게 하시는 말씀은 무엇인가?

'가난한 자를 불쌍히 여긴다'는 것은 그들의 필요를 돌아본다는 뜻이다. 특히 물질에 관련해 돌아보는 것이다. 만약 내가 가난한 자를 불쌍히 여기면 하나님께서는 '내가 네게 빚졌다'라고 말씀하신다. 하나님이 빚쟁이가 되시는 것이다. 이 얼마나 놀라운 말씀이신가! 하나님이 내게 빚지시다니!

하나님은 내가 가난한 사람들을 돌아볼 때마다 내 행위를 보시고 하늘은행의 직원들인 천사들에게 빚을 졌다고 장부에 기입하도록 하신다.

하나님께서 반드시 넉넉하게 갚아주신다. 나는 조금 돌보아주었을 뿐인데 하나님은 넉넉히 갚아주신다. 시중은행의 이자율과는 전혀 다르다.

가난한 자를 불쌍히 여기는 것을 '착한 행실'이라 한다. 하나님의 관심은 가난한 자를 돌아보는 것에 있으시다. 하나님은 내가 가난한 자에게 관심을 가지고 구체적으로 그들의 필요를 살피고 공급하길 원하신다.

● 하나님이 말씀하신 것을 구체적으로 내게 어떻게 적용할 것인가?

내 주변에 가난한 사람은 누구인가? 가난한 사람이란 어떤 사람들인가?

– 가족들 중에 있는가?

– 친척들 중에?

– 친구들 중에?

– 교회 내에서?

어떤 방식으로 돌아볼 것인가?

– 실제적인 필요를 채운다.

– 중보기도를 한다.

중보기도 

• 본문을 통해 내게 필요한 기도제목들은 무엇인가?

가난한 사람에 대한 하나님의 마음을 내게 주소서.
교회에 이들에 대한 사역이 구체적으로 일어나게 해주소서.

• 왜 이 기도제목들이 내게 필요했는가?

가난한 자에 대해 무관심하거나 마음에 두지 않는 것은 참으로 하나님의 마음을 모르는 것이다. 주님의 마음을 갖는 것이 중요하다.

• 오늘의 말씀을 통해 내 삶에 어떤 변화가 일어났는가?
기도응답은 있는가? 구체적으로 어떤 것인가?

묵상 날짜 | 년 월 일

묵상 본문 | **마 6:19-21** 제목 | **보물이 있는 곳**

- 본문을 통해 하나님께서 내게 하시는 말씀은 무엇인가?

- 하나님이 말씀하신 것을 구체적으로 내게 어떻게 적용할 것인가?

중보기도 

- 본문을 통해 내게 필요한 기도제목들은 무엇인가?

- 왜 이 기도제목들이 내게 필요했는가?

- 오늘의 말씀을 통해 내 삶에 어떤 변화가 일어났는가?
  기도응답은 있는가? 구체적으로 어떤 것인가?

묵상 날짜 | 년 월 일

묵상 본문 | **마 6:22-24** 제목 | **네 주인이 누구냐**

● 본문을 통해 하나님께서 내게 하시는 말씀은 무엇인가?

● 하나님이 말씀하신 것을 구체적으로 내게 어떻게 적용할 것인가?

중보기도

- 본문을 통해 내게 필요한 기도제목들은 무엇인가?

- 왜 이 기도제목들이 내게 필요했는가?

- 오늘의 말씀을 통해 내 삶에 어떤 변화가 일어났는가?
  기도응답은 있는가? 구체적으로 어떤 것인가?

묵상 날짜 | 년 월 일

묵상 본문 | **눅 8:4-15** 제목 | **좋은 땅에 심으라**

- 본문을 통해 하나님께서 내게 하시는 말씀은 무엇인가?

- 하나님이 말씀하신 것을 구체적으로 내게 어떻게 적용할 것인가?

중보기도

- 본문을 통해 내게 필요한 기도제목들은 무엇인가?

- 왜 이 기도제목들이 내게 필요했는가?

- 오늘의 말씀을 통해 내 삶에 어떤 변화가 일어났는가?
  기도응답은 있는가? 구체적으로 어떤 것인가?

묵상 날짜	년	월	일
묵상 본문 **잠 19:17**		제목 **빚쟁이 하나님**	

• 본문을 통해 하나님께서 내게 하시는 말씀은 무엇인가?

• 하나님이 말씀하신 것을 구체적으로 내게 어떻게 적용할 것인가?

중보기도 

• 본문을 통해 내게 필요한 기도제목들은 무엇인가?

• 왜 이 기도제목들이 내게 필요했는가?

• 오늘의 말씀을 통해 내 삶에 어떤 변화가 일어났는가?
기도응답은 있는가? 구체적으로 어떤 것인가?

묵상 날짜| 년 월 일

묵상 본문| **시 146:6-10** 제목| **고아와 과부의 하나님**

- 본문을 통해 하나님께서 내게 하시는 말씀은 무엇인가?

- 하나님이 말씀하신 것을 구체적으로 내게 어떻게 적용할 것인가?

중보기도

- 본문을 통해 내게 필요한 기도제목들은 무엇인가?

- 왜 이 기도제목들이 내게 필요했는가?

- 오늘의 말씀을 통해 내 삶에 어떤 변화가 일어났는가? 기도응답은 있는가? 구체적으로 어떤 것인가?

묵상 날짜 | 년 월 일

묵상 본문 | **시 41:1-3** 제목 | **복이 있는 자**

• 본문을 통해 하나님께서 내게 하시는 말씀은 무엇인가?

• 하나님이 말씀하신 것을 구체적으로 내게 어떻게 적용할 것인가?

중보기도

- 본문을 통해 내게 필요한 기도제목들은 무엇인가?

- 왜 이 기도제목들이 내게 필요했는가?

- 오늘의 말씀을 통해 내 삶에 어떤 변화가 일어났는가?
  기도응답은 있는가? 구체적으로 어떤 것인가?

묵상 날짜 | 년 월 일

묵상 본문 | **겔 16:48-50** 제목 | **소돔의 죄악**

• 본문을 통해 하나님께서 내게 하시는 말씀은 무엇인가?

• 하나님이 말씀하신 것을 구체적으로 내게 어떻게 적용할 것인가?

중보기도 

- 본문을 통해 내게 필요한 기도제목들은 무엇인가?

- 왜 이 기도제목들이 내게 필요했는가?

- 오늘의 말씀을 통해 내 삶에 어떤 변화가 일어났는가?
  기도응답은 있는가? 구체적으로 어떤 것인가?

묵상 날짜| 년 월 일

묵상 본문| **마 6:25-34** 제목| **염려하지 말라**

- 본문을 통해 하나님께서 내게 하시는 말씀은 무엇인가?

예수께서 "염려하지 말라"고 모두 다섯 번 말씀하신다(6:25, 27, 28, 31, 34). 일반적으로 염려하는 것은 먹을 것과 마실 것과 입을 것이다. 그것들은 이방인들이 구하는 것이다. 염려하지 말아야 할 이유는 염려가 우리에게 도움이 안 되기 때문이다(6:27). 염려한다고 상황이 바뀌는 것이 아니다.

주님은 두 번이나 "보라"고 말씀하신다. "공중의 새를 보라 하늘 아버지께서 기르시나니 너희는 이것들보다 귀하지 아니하냐"(6:26). "들의 백합화가 어떻게 자라는가 생각하여 보라 하나님이 이렇게 입히시거든 하물며 너희일까보냐 믿음이 작은 자들아"(6:28-30).

"너희 하늘 아버지"를 두 번이나 말씀하신다(6:26, 32). 즉 우리는 돌봐줄 자가 없는 고아가 아니다. 우리에게는 공중의 새를 돌보시며 들의 백합화를 입히시는 아버지가 계신다. 염려하지 말아야 할 것만 아니라 구하지 말아야 한다. 우리가 구해야 할 것은 그의 나라와 의이다(6:33). 비전을 따라 살라는 것이다. 공급은 영어로 'provision'으로 전치사 'pro'와 명사 'vision'의 합성어이다. 전치사 'pro'는 for의 의미가 있어 이 단어를 보면 내 모든 쓸 것이 공급되는 것은 내가 비전을 위하여 살 때라는 것이다. 하나님은 내가 내 쓸 것을 위해서 사는 것이 아니라, 하나님의 비전을 위해 살 때 내 쓸 것을 공급하셔서 내가 비전을 이루도록 하신다.

- 하나님이 말씀하신 것을 구체적으로 내게 어떻게 적용할 것인가?

내가 염려하는 것이 있는가? 내가 구해야 할 것은 무엇인가?

나는 비전이 있는가? 있다면 내 비전은 무엇인가?

나는 쓸 것을 위해서 사는가? 하나님의 비전을 위해서 사는가?

나는 하나님의 비전을 이루기 위해 열심히 일하는가?

나는 고아처럼 사는가? 아들처럼 사는가?

중보기도 

- 본문을 통해 내게 필요한 기도제목들은 무엇인가?

하늘 아버지가 계심을 감사해야겠다. 비전을 주시도록 구해야겠다.

- 왜 이 기도제목들이 내게 필요했는가?

나는 고아가 아니기 때문이다. 하나님이 아버지가 되셔서 내 모든 쓸 것을 공급하시기 때문이다.
삶의 형태는 비전을 따라 살기로 결심했기 때문이다. 먼저 비전이 무엇인가를 알아야 한다.

- 오늘의 말씀을 통해 내 삶에 어떤 변화가 일어났는가? 기도응답은 있는가? 구체적으로 어떤 것인가?

묵상 날짜 | 년 월 일

묵상 본문 | **신 24:19-22** 제목 | **남겨두라**

• 본문을 통해 하나님께서 내게 하시는 말씀은 무엇인가?

• 하나님이 말씀하신 것을 구체적으로 내게 어떻게 적용할 것인가?

중보기도

- 본문을 통해 내게 필요한 기도제목들은 무엇인가?

- 왜 이 기도제목들이 내게 필요했는가?

- 오늘의 말씀을 통해 내 삶에 어떤 변화가 일어났는가?
  기도응답은 있는가? 구체적으로 어떤 것인가?

묵상 날짜 | 년 월 일

묵상 본문 | **눅 16:10-12** 제목 | **충성해야 할 것**

- 본문을 통해 하나님께서 내게 하시는 말씀은 무엇인가?

- 하나님이 말씀하신 것을 구체적으로 내게 어떻게 적용할 것인가?

중보기도

- 본문을 통해 내게 필요한 기도제목들은 무엇인가?

- 왜 이 기도제목들이 내게 필요했는가?

- 오늘의 말씀을 통해 내 삶에 어떤 변화가 일어났는가?
  기도응답은 있는가? 구체적으로 어떤 것인가?

묵상 날짜 | 년 월 일

묵상 본문 | **고후 9:8-11** 제목 | **심는 자**

- 본문을 통해 하나님께서 내게 하시는 말씀은 무엇인가?

- 하나님이 말씀하신 것을 구체적으로 내게 어떻게 적용할 것인가?

중보기도

- 본문을 통해 내게 필요한 기도제목들은 무엇인가?

- 왜 이 기도제목들이 내게 필요했는가?

- 오늘의 말씀을 통해 내 삶에 어떤 변화가 일어났는가?
  기도응답은 있는가? 구체적으로 어떤 것인가?

묵상 날짜 | 년 월 일

묵상 본문 | **고후 1:20** 제목 | **하나님의 약속**

- 본문을 통해 하나님께서 내게 하시는 말씀은 무엇인가?

- 하나님이 말씀하신 것을 구체적으로 내게 어떻게 적용할 것인가?

중보기도

- 본문을 통해 내게 필요한 기도제목들은 무엇인가?

- 왜 이 기도제목들이 내게 필요했는가?

- 오늘의 말씀을 통해 내 삶에 어떤 변화가 일어났는가? 기도응답은 있는가? 구체적으로 어떤 것인가?

묵상 날짜 | 년 월 일

묵상 본문 | **말 3:8-12** 제목 | **십일조**

- 본문을 통해 하나님께서 내게 하시는 말씀은 무엇인가?

- 하나님이 말씀하신 것을 구체적으로 내게 어떻게 적용할 것인가?

중보기도

- 본문을 통해 내게 필요한 기도제목들은 무엇인가?

- 왜 이 기도제목들이 내게 필요했는가?

- 오늘의 말씀을 통해 내 삶에 어떤 변화가 일어났는가?
기도응답은 있는가? 구체적으로 어떤 것인가?

묵상 날짜 | 년 월 일

묵상 본문 | **잠 11:24** 제목 | **나누는 삶**

- 본문을 통해 하나님께서 내게 하시는 말씀은 무엇인가?

- 하나님이 말씀하신 것을 구체적으로 내게 어떻게 적용할 것인가?

중보기도

- 본문을 통해 내게 필요한 기도제목들은 무엇인가?

- 왜 이 기도제목들이 내게 필요했는가?

- 오늘의 말씀을 통해 내 삶에 어떤 변화가 일어났는가?
  기도응답은 있는가? 구체적으로 어떤 것인가?

묵상 날짜 | 년 월 일

묵상 본문 | **잠 22:7** 제목 | **빚과 종**

- 본문을 통해 하나님께서 내게 하시는 말씀은 무엇인가?

- 하나님이 말씀하신 것을 구체적으로 내게 어떻게 적용할 것인가?

중보기도

- 본문을 통해 내게 필요한 기도제목들은 무엇인가?

- 왜 이 기도제목들이 내게 필요했는가?

- 오늘의 말씀을 통해 내 삶에 어떤 변화가 일어났는가? 기도응답은 있는가? 구체적으로 어떤 것인가?

묵상 날짜 | 년 월 일

묵상 본문 | **고후 9:6-9** 제목 | **심고 거둠**

- 본문을 통해 하나님께서 내게 하시는 말씀은 무엇인가?

헌금한다는 것은 심는다는 것이다. 성경은 헌금을 다룰 때 농사짓는 것으로 비유하고 있다. 헌금한다는 것은 씨를 땅에 심는 것처럼 하늘나라에 심는 것이며 거둘 것을 예상한다는 것이다. 수확이 적은 것은 적게 심었기 때문이다. 수확이 많기를 바란다면 많이 심어야 한다.

하나님의 법칙은 '풍성'이다. 하나님의 성품이 '풍성'이다. 하나님의 원칙이 '배가'이다. 그러므로 하나님은 심을 것을 풍성하게 주시고 거두게 하신다. 하나님은 나의 쓸 것을 위해 풍성하게 거두게 하실 뿐 아니라 더 심도록 하신다. 특히 가난한 자들을 위해 흩어서 주기를 원하신다.

- 하나님이 말씀하신 것을 구체적으로 내게 어떻게 적용할 것인가?

심고 거두는 법칙을 잘 이해해야 한다. 특히 거두기 위해 심는 것을 배워야 한다.

성경적 공식 거두는 것 = 자기 것 + 심을 것 + 줄 것

하나님의 풍성하심의 성품과 원칙을 닮아가기

– 넉넉하고 너그러운 마음 갖기

– 즐겨 내는 법 배우기, 하나님이 사랑하시는 사람은 인색하지 않고 즐겨 내는 자이다.

중보기도 

- 본문을 통해 내게 필요한 기도제목들은 무엇인가?

하나님의 사랑을 받는 자가 되기 원합니다. 인색함이나 억지로가 아니라 즐거이 내는 자가 되게 하소서.
하나님의 풍성의 원칙을 닮아가길 원합니다.
하나님의 배가의 원칙을 배우길 원합니다.

- 왜 이 기도제목들이 내게 필요했는가?

주는 삶이 필요하다. 심는 삶이 습관화되어야 한다.

- 오늘의 말씀을 통해 내 삶에 어떤 변화가 일어났는가?
기도응답은 있는가? 구체적으로 어떤 것인가?

묵상 날짜 | 년 월 일

묵상 본문 | **잠 22:26,27** 제목 | **빚보증**

- 본문을 통해 하나님께서 내게 하시는 말씀은 무엇인가?

- 하나님이 말씀하신 것을 구체적으로 내게 어떻게 적용할 것인가?

중보기도

- 본문을 통해 내게 필요한 기도제목들은 무엇인가?

- 왜 이 기도제목들이 내게 필요했는가?

- 오늘의 말씀을 통해 내 삶에 어떤 변화가 일어났는가?
  기도응답은 있는가? 구체적으로 어떤 것인가?

묵상 날짜 | 년 월 일

묵상 본문 | **잠 28:8** 제목 | **높은 이자**

- 본문을 통해 하나님께서 내게 하시는 말씀은 무엇인가?

- 하나님이 말씀하신 것을 구체적으로 내게 어떻게 적용할 것인가?

중보기도 

• 본문을 통해 내게 필요한 기도제목들은 무엇인가?	• 왜 이 기도제목들이 내게 필요했는가?

• 오늘의 말씀을 통해 내 삶에 어떤 변화가 일어났는가?
기도응답은 있는가? 구체적으로 어떤 것인가?

묵상 날짜 | 년 월 일

묵상 본문 | **롬 13:8** 제목 | **사랑의 빚**

- 본문을 통해 하나님께서 내게 하시는 말씀은 무엇인가?

- 하나님이 말씀하신 것을 구체적으로 내게 어떻게 적용할 것인가?

중보기도

- 본문을 통해 내게 필요한 기도제목들은 무엇인가?

- 왜 이 기도제목들이 내게 필요했는가?

- 오늘의 말씀을 통해 내 삶에 어떤 변화가 일어났는가?
  기도응답은 있는가? 구체적으로 어떤 것인가?

묵상 날짜 | 년 월 일

묵상 본문 | **딤전 1:12** 제목 | **충성**

- 본문을 통해 하나님께서 내게 하시는 말씀은 무엇인가?

- 하나님이 말씀하신 것을 구체적으로 내게 어떻게 적용할 것인가?

중보기도

- 본문을 통해 내게 필요한 기도제목들은 무엇인가?

- 왜 이 기도제목들이 내게 필요했는가?

- 오늘의 말씀을 통해 내 삶에 어떤 변화가 일어났는가?
  기도응답은 있는가? 구체적으로 어떤 것인가?

묵상 날짜 |　　　　　년　　　월　　　일

묵상 본문 | **고후 9:6-9**　　　　제목 | **심고 거둠**

- 본문을 통해 하나님께서 내게 하시는 말씀은 무엇인가?

- 하나님이 말씀하신 것을 구체적으로 내게 어떻게 적용할 것인가?

중보기도

- 본문을 통해 내게 필요한 기도제목들은 무엇인가?

- 왜 이 기도제목들이 내게 필요했는가?

- 오늘의 말씀을 통해 내 삶에 어떤 변화가 일어났는가?
  기도응답은 있는가? 구체적으로 어떤 것인가?

묵상 날짜 | 년 월 일

묵상 본문 | **마 6:22-24** 제목 | **단순한 삶**

- 본문을 통해 하나님께서 내게 하시는 말씀은 무엇인가?

- 하나님이 말씀하신 것을 구체적으로 내게 어떻게 적용할 것인가?

중보기도 

- 본문을 통해 내게 필요한 기도제목들은 무엇인가?

- 왜 이 기도제목들이 내게 필요했는가?

- 오늘의 말씀을 통해 내 삶에 어떤 변화가 일어났는가?
  기도응답은 있는가? 구체적으로 어떤 것인가?

묵상 날짜 | 년   월   일

묵상 본문 | **신 26:12-15**   제목 | **십일조**

- 본문을 통해 하나님께서 내게 하시는 말씀은 무엇인가?

- 하나님이 말씀하신 것을 구체적으로 내게 어떻게 적용할 것인가?

중보기도

• 본문을 통해 내게 필요한 기도제목들은 무엇인가?

• 왜 이 기도제목들이 내게 필요했는가?

• 오늘의 말씀을 통해 내 삶에 어떤 변화가 일어났는가? 기도응답은 있는가? 구체적으로 어떤 것인가?

묵상 날짜 | 년 월 일

묵상 본문 | **신 30:19,20** 제목 | **선택**

• 본문을 통해 하나님께서 내게 하시는 말씀은 무엇인가?

• 하나님이 말씀하신 것을 구체적으로 내게 어떻게 적용할 것인가?

중보기도 

• 본문을 통해 내게 필요한 기도제목들은 무엇인가?	• 왜 이 기도제목들이 내게 필요했는가?

• 오늘의 말씀을 통해 내 삶에 어떤 변화가 일어났는가?
기도응답은 있는가? 구체적으로 어떤 것인가?

묵상 날짜 | 년 월 일

묵상 본문 | **눅 6:38** 제목 | **주는 삶**

- 본문을 통해 하나님께서 내게 하시는 말씀은 무엇인가?

- 하나님이 말씀하신 것을 구체적으로 내게 어떻게 적용할 것인가?

중보기도

- 본문을 통해 내게 필요한 기도제목들은 무엇인가?

- 왜 이 기도제목들이 내게 필요했는가?

- 오늘의 말씀을 통해 내 삶에 어떤 변화가 일어났는가? 기도응답은 있는가? 구체적으로 어떤 것인가?

묵상 날짜 | 년 월 일

묵상 본문 | **민 23:19** 제목 | **신실하신 하나님**

- 본문을 통해 하나님께서 내게 하시는 말씀은 무엇인가?

- 하나님이 말씀하신 것을 구체적으로 내게 어떻게 적용할 것인가?

중보기도 

- 본문을 통해 내게 필요한 기도제목들은 무엇인가?

- 왜 이 기도제목들이 내게 필요했는가?

- 오늘의 말씀을 통해 내 삶에 어떤 변화가 일어났는가?
  기도응답은 있는가? 구체적으로 어떤 것인가?

NOTE